DISCARD

Tomás, el elefante que quería ser perro salchicha

Myriam Yagnam | Ilustraciones de Carolina Durán

ZIG-ZAG LECTORCITOS

Editora General: Camila Domínguez Ureta.
Editora Asistente: Camila Bralic Muñoz.
Director de Arte: Juan Manuel Neira Lorca.
Diseñadora: Mirela Tomicic Petric.

I.S.B.N.: 978-956-12-2952-5.
1ª edición: julio de 2010.
8ª reimpresión: febrero de 2019.

© 2010 por Myriam Yagnam Lara.
Inscripción Nº 191.646. Santiago de Chile.
Editado por Empresa Editora Zig-Zag, S.A.
Los Conquistadores 1700. Piso 10. Providencia.
Teléfono (56-2) 2810 7400.
E-mail: contacto@zigzag.cl / www.zigzag.cl
Santiago de Chile.

El presente libro no puede ser reproducido ni en todo ni en parte, ni archivado ni transmitido por ningún medio mecánico, ni electrónico, de grabación, CD-Rom, fotocopia, microfilmación u otra forma de reproducción, sin la autorización escrita de su editor.

Impreso en Gráfica Andes.
Santo Domingo 4593. Quinta Normal.
Santiago de Chile.

Certificado PEFC

Este papel proviene de bosques manejados en forma sustentable y fuentes controladas

PEFC/24-31-4800

www.pefc.org

Un día llegó a la ciudad un circo.
De esos circos grandes,
con payasos, trapecistas, magos
y carpas multicolores.

En el circo venía un elefante gris.
Este se llamaba Tomás y sabía
sentarse y bailar en una sola pata
adornada con campanitas.

Pero aunque Tomás era feliz en
el circo, le gustaba su comida y
le encantaban los aplausos cuando
levantaba al payaso Cataplúm
en su trompa, se sentía muy triste
a la hora de irse a la cama.

Tomás no tenía quién le hiciera caricias
ni durmiera a su lado, como Salchichín,
el perrito de Pamela, la dueña del circo.

¡Cómo le habría gustado a Tomás que
le hablaran en chiquito, lo mimaran y
le hicieran cariño como a Salchichín!
Pero Tomás era grande… ¿Quién podría
imaginar que le gustaban las caricias?

Un día, en el que Tomás se sentía especialmente triste, decidió hablar con el domador y con Pamela, la dueña del circo.

Los llamó a su carpa y se aclaró la garganta. Tomás siempre se aclaraba la garganta cuando tenía que decir algo importante.

–Ejem, ejem –dijo Tomás,
levantando su trompa–,
cómo me gustaría ser
un perro salchicha.
Yo quisiera ser como
Salchichín –agregó,
mirando suplicante a
Pamela– y tener un amo
chiquito que me hiciera
caricias y me hablara
cuando me siento triste…
¡Estoy tan cansado de
esta vida de artista! Me
siento muy, pero muy
solo.

El domador y Pamela se miraron.
Querían bastante a Tomás, lo habían
visto crecer en el circo y le tenían
mucho aprecio.

Por eso, el domador, que era muy
bueno, le dijo:

—No te preocupes más, Tomás,
te vamos a ayudar. Hoy saldremos
con Pamela por las calles a buscar
a un amigo verdadero que siempre
te pueda amar.

Caminaron todo el día
por la pequeña ciudad,
sin encontrar a nadie
dispuesto a hacerse cargo
de un elefante grande
que quería tener un
dueño chiquito.

–No –decían algunos–
es demasiado grande.

–No –decían otros–
tendríamos que
darle mucha comida
y no tenemos dinero
para eso.

Esa tarde, agotados de tanto caminar, Pamela y el domador se sentaron a descansar en un banco.

De pronto vieron que en éste había un periódico. Fue entonces cuando Pamela tuvo una gran idea. Pondrían un aviso que dijera:

…@juanito.cl

PASTORES ALEMANES
Finísimos regalo, escribir a
pastor@aleman.fr

PEZ PAYASO
Cambio 4 peces Payaso
por pez globo, llamar al
86 48 98…

ELEFANTE GRANDE Y SIMPÁTICO
se ofrece como MASCOTA.
Sabe BAILAR en una pata
y se sienta cuando se le
ORDENA.

P…
Fi…
pas…

MO…
Cam…
por p…
86 48

LEON
FEROZ
vendo a pr…
de oportun…
por…

Al día siguiente, vino
mucha gente a verlo.

Llegaron niños, hombres,
mujeres, abuelitas,
preguntones, veterinarios.

Tomás se sentía tan feliz,
creyéndose ya un perro
salchicha, que partió con
la primera señora que le
habló y le hizo cariño.

20

21

Pero cuando llegaron
a la casa de Viviana,
que así se llamaba la
señora, empezaron los
problemas para Tomás.

Como Viviana quería
que Tomás fuera feliz,
y se sintiera como el
perro salchicha que él
insistía en ser, le daba
comida de perro,
le tenía cama de perro
y le hablaba en idioma
perruno.

Tomás se sentía confundido,
estaba triste y pasaba horas
encerrado en su habitación,
diciéndose:

"No sé quién soy.
Me miro en el espejo
y no sé qué pensar.

Me equivoqué:
quise ser lo que no soy.

Quiero volver a comenzar,
saber bien adónde voy,
así podré encontrar
a quien amar,
¡y me amarán!"

Y como Tomás era muy
inteligente, como todos
los elefantes, decidió
hablar con Viviana.

–Perdóneme –le dijo–.
Me he dado cuenta
de que nunca podré
ser feliz actuando como
perro; soy un elefante.

Viviana entendió lo que sentía Tomás y lo ayudó a preparar su maleta.

Y así fue como Tomás volvió de nuevo al circo, con la lección aprendida.

FRAGIL

I ♥ CHILE

Cuando sus amigos lo vieron
regresar, le dieron una gran fiesta.
Tomás volvió a salir a escena, y
aunque ahora se sentía un poco más
feliz, no perdía la esperanza de que
alguien lo quisiera tal y como él era.

Una tarde, al finalizar la función, llegó a verle
una maestra con un grupo de niños de todas
las edades y colores: rubios, morenos,
de ojitos achinados, ojos verdes y
sonrisas sin dientes delanteros.

Los niños se volvieron locos con Tomás:
lo acariciaron, lo mimaron, le hablaron
en chiquito.

Finalmente, la maestra le preguntó
si quería irse a vivir con ella
en la granja que tenía junto
a la escuela agrícola.

–Sí, sí –gritaban los niños–.
¡Di que sí, Tomás! ¡Di que sí!

Tomás no lo pensó más.
Se despidió de nuevo de
Pamela, del domador y
del payaso Cataplúm.

Y ahora vive en el campo,
en una casita de elefante
hecha solo para él;
se baña en el barro y los niños
lo acarician y le hablan en
idioma de elefante, mientras
él los acompaña en sus juegos.

Así, Tomás vive feliz,
siendo simplemente
lo que siempre fue:
un elefante.